郑栗儿/著

张志杰/绘

大师密码 A-Z系列

大师密码K

我的朋友变成蛇?

人民东方出版传媒
People's Oriental Publishing & Media
東方出版社
The Oriental Press

图书在版编目（CIP）数据

大师密码．K，我的朋友变成蛇？/郑栗儿著；张志杰绘．—北京：东方出版社，2015.11

ISBN 978-7-5060-8735-3

Ⅰ．①大…　Ⅱ．①郑…②张…　Ⅲ．①儿童故事—作品集—中国—当代　Ⅳ．①I287.5

中国版本图书馆CIP数据核字（2015）第267047号

大师密码K：我的朋友变成蛇？
（DASHI MIMA K: WO DE PENGYOU BIANCHENG SHE？）

作　　者：郑栗儿
绘　　者：张志杰
产品经理：张媛媛
责任编辑：张媛媛
出　　版：东方出版社
发　　行：人民东方出版传媒有限公司
地　　址：北京市东城区朝阳门内大街166号
邮政编码：100706
印　　刷：小森印刷（北京）有限公司
版　　次：2016年3月第1版
印　　次：2016年3月第1次印刷
印　　数：1—5 000册
开　　本：720毫米×950毫米　1/16
印　　张：4.75
字　　数：45千字
书　　号：ISBN 978-7-5060-8735-3
定　　价：18.00元
发行电话：（010）64258117 64258115　64258112

目 录

出版前言

每个父母都希望孩子未来能出类拔萃，并在孩子的教育问题上倾尽心力。

许多孩子长大后成熟乐观，在社会上如鱼得水，但不少人成年后并不快乐。他们即使地位显赫、经济条件优越，依然郁郁寡欢。带来快乐的因素有很多，其中起决定作用的则是人格。面对同样的问题，不同的人格往往造就不同的结果。

怎样才能培养健全的人格？我们不妨到传统文化中去寻找答案。几千年来，儒、道、佛相得益彰，共同塑造着国人的精神世界。儒家关切社会的治理，道家关怀生命自然状态的保持，而佛家则关心人生痛苦的解除。故此，历史上就有“儒家治世、道家治身、佛家治心”的说法。

今天很多人习惯于将佛教简单理解为一种宗教，有的人甚至认为它是封建迷信。如果去掉宗教的外衣，它其实是一座充满智慧，兼具心理、品德教育功能的文化宝库。

为此，我们从台湾引进了这套“大师密码”A–Z 系列。这套书以 130 个佛教大师的成长故事，体现了 130 个美好的人格特质。沉着、孝顺、无畏、远见……从这些有趣的故事里，孩子们不但可以学会如何获得成功，更能明白如何倾听内心的声音，获得快乐。

这套书结构编排巧妙，集合了台湾优秀的作家及插画师。书中故事生动活泼，插画精美，在台湾广受好评，曾获得台湾“第 27 次中小学生优良课外读物推介”。相信它同样会得到大陆青少年朋友的喜爱。

大师的密码　成功的特质

在我还是青少年时，就很喜欢阅读佛教大师的传记故事。可以说，我的人格就是从阅读大师的史传故事，点点滴滴建立起来的。

不论大人、小孩都喜欢读故事，法鼓文化历时两年的筹备，制作了这套有丰富精美插画的“大师密码”A–Z系列。这套书中，选出130个“大师的美好特质”，一个特质就是一个大师故事，让孩子在趣味的故事中自然吸收大师的养分。

我曾指出佛教的高僧必须具有四大条件：持戒清净、修行精进、慈悲济众与护持佛法；如果转换成现代人的语汇，就是自律、认真、宽大、懂得回馈，而这些正是所有成功人士必备的条件。

很多家长以为孩子学佛会变得消极、不具竞争力；如果从大师的四大条件来看，这样的想法完全错误！孩子接触佛法绝对会更积极、健康，能为他们的一生奠定稳固的基础。

大师们的成就绝非偶然，也没有人一出生就是大师，父母应该提供这样的环境，让人格正在成长形塑中的孩子，吸收历代大师们的生命菁华，转化为他们自己的。我相信这一套“大师密码”A–Z系列，能够成为孩子们成长的助缘！

聖嚴

台湾法鼓山禅修文教体系创办人

科技大法师

大师密码

Knowledgeable 博学

你知道第一个测量出地球子午线长度的人是谁吗？谁是第一个发现恒星运动的科学家？谁又是第一个提出月亮比太阳离地球近的人？在没有航天飞机，也没有望远镜的一千多年前，唐代的一行大师以他广博的学问，研究出许多天文历算新成果，他的一小步，真可谓是人类的一大步！

出身官宦世家的一行，原名张遂，对天文、历算特别有天分，在文学、历史方面的造诣也是高人一等，是一位天才型的人物。他出家后，不只学禅、学律，更成为中国密宗的始祖，译出许多重要密典。

一行大师在天文学上的成就，闻名于古今中外的天文学界，为纪念一行大师的成就，月亮上还有以一行的法号命名的地方呢！下次赏月时，可别忘了这位科技大法师啊！

小档案 一行

- 国籍：中国
- 尊称：中国密宗始祖
- 专长：天文、历算、密法
- 影响：中国著名的天文学家与密宗开创者
- 事迹：编制《大衍历》

长安著名的藏书家尹崇，最近乐得很呢！因为他刚获得一本奇书，也就是西汉大学者扬雄模仿《易经》所写的《太玄经》，这本书内容非常玄奥，义理深远。尹崇以他多年修道的功夫，花费了好几个月时间，好不容易才把它读完了：“扬雄真是太了不起了，能写出这么有学问的书！”

常到玄都观向尹崇借书的青年张遂，正好又来借书了，尹崇一看到这位同样热爱阅读的书友出现，便大方地向他推荐：“快来！这本书你带回去好好读一读！”

没想到才过几天，张遂就来还书了，尹崇很不高兴地说：“这可是百年难得的好书啊！你怎么不用心读呢？这么快就还回来了！”

张遂满脸无辜地回答：“我已经读完啦！”尹崇听后大感惊讶，心想：“这么难懂的经典，这小子怎么没两天就读完了？”

这时张遂拿出两本厚厚的笔记本，一本题名为《大衍玄图》，另一本叫《义决》，说：“这是我的阅读心得，请您过目。”

尹崇打开一看，满篇都是一行接一行透彻而精辟的分析，看得尹崇又惊又喜，他露出了无限的赞叹：“哎呀！真有你的！”

经尹崇的推荐，张遂的名声广传。一群名流都想来认识这位奇特的青年才俊，连在朝廷独揽大权、武则天恶名昭彰的侄子武三思，对张遂也很感兴趣，他为了夺取王权，正四处拉拢优秀的人才。

“唉！没想到惹来了这种有权势的恶人要跟我结交！”被盛名所累的张遂不想见武三思，不得已只好连夜逃走，出家当了和尚，法号一行，后来他又到嵩山少林寺拜普寂为师，开悟后便游历四方，不断增长见闻。

天台山的国清寺宁静如昔，但淙淙的溪水声却显得有些热闹，仿佛在预告着有特别的人到了！在十几棵巨松的环绕下，一位老僧人正用一根根棍子演算习题："果园里一排种了二十五棵树，那三十排总共有几棵呢？"

话还没说完，就有人公布了答案："七百五十棵！"原来是路过的一行。

老僧人抬头一看，眼前不知何时站了一位充满书卷气的年轻僧人，便问："为什么？"

只见一行从容不迫地说："三十是三的十倍，三乘以二十五是七十五，所以七十五的十倍就是七百五十！"

老僧点点头，又问："那一百减九十七，加上九十四减九十一，再加上八十八减八十五……最后加上十减七，再加上四减一，总共是多少呢？"

一行低头思索一阵后回答："这个算式很长，数字也很多，但有一个特点，相邻的两数都相差三，加号和减号交替出现，因此可以用两数一组的方式来计算，也就是一百减去九十七是一组，九十四减九十一是一组，这样就变成三加三加三，连续加十七次，答案是五十一。"

老僧人听他这样一说，也玩兴大发起来，双手使劲一拍："不错！不错！你懂得灵活运用数字的规律，我这边还有好几道有趣的题目可以再算一算！"两人就这样一直玩到天黑。

这位隐姓埋名的高僧，拥有一身机智妙算的好功夫，一行拜他为师，继承了他所有的数学本领，奠定了以后在天文和历法上的基础。

当时正值唐玄宗继位后不久，正在积极推行各项改革，对于误差很大的《麟德历》历法相当不满意，一些日食天象都和历法上的记载不一样。经过大臣的推荐，玄宗把一行请到皇宫打算重修历法。

一行不是很想和权贵交往，推辞了好几次，最后实在拗不过了，只好勉强同意，他知道皇帝找他进宫是为了重修历法，便向玄宗说："要修历法，一定要有正确的天象，所以必须先制造精密的天文仪器来观测星象、记录气候。"玄宗知道一行是真正的高手，便欣然同意了："你放手去做吧！"

就这样，一行花了六年时间，和梁令瓒共同发明了一种用铜铁铸成，可以测量星宿移动和考察月球运行规律的"黄道游仪"。

“你看，黄道游仪测出的恒星位置出现变化了！”一行兴奋地说。

梁令瓒在一旁瞧了又瞧：“没错，我原本还以为恒星不会移动呢！”

两人对这个特别的发现大感兴奋，他们还把恒星的移动位置，画成三十六张天象图。

后来一行又测量出同一个时间中，日光在各地投影的影子差距，以此计算出太阳距离赤道南北的远近：“当太阳走到最北而位置最高的时候，影子最短，就是夏至；当太阳走到最南而位置最低的时候，影子最长，就是冬至。”

根据这一测量结果，一行准确测定出一年二十四个节气和每一天的时刻，撰写出十分科学的《大衍历》，深得唐玄宗的嘉许。

接着，一行和梁令瓒又奉命改制浑天仪，经过日夜不息地研究观察，改制后的浑天仪比张衡发明的浑大仪更加完备。一行的成果有目共睹，他创造了世界天文学史上的三个“第一”：第一个测量出地球子午线的长度，比伊斯兰教王阿尔·马蒙的实测子午线早了九十年；第一个提出月亮比太阳离地球近的论点；第一个发现恒星运动的科学家，他观察出太阳的运动规律，并发现了恒星位置的移动，比英国天文学家哈雷所提出的观点还早一千年。

一九八二年，国际上将月球划分为几个区域，其中一个区还被特别命名为“一行”。

不仅在天文历算上的成绩斐然，一行还奉命协助善无畏译出密宗的根本经典《大日经》，得到善无畏所传的密法，成为中国密宗的始祖。博学多闻的他不仅佛学造诣深厚，在数理天文学上的成就，更是绝无仅有！

人气第一的秘密

大师密码 Kindly 体贴

帛尸梨密多罗原本贵为龟兹国的王子，却毫不眷恋权势，将王位让给弟弟后，就孑然一身出家学法去了。

当他来到中国后，虽然身为贵族，却从不对人摆架子，总是能够体贴地了解每个人的需求，因此达官贵人都争相想要亲近他，一睹大师的风采。对那些整天面临国家战争、官场斗争的官员们来说，帛尸梨密多罗的清凉法语与温馨关怀，可说是化解烦恼的最佳妙药。

体贴的帛尸梨密多罗，除了为人们带来阳光般的温暖关怀外，也是佛教史上影响深远的人物。他是最早在中国弘传持咒方法的人，既用心翻译佛教经咒，又耐心指导持咒方式，让中国人能以美妙音声修学佛法。

小档案 帛尸梨密多罗

- 国籍：龟兹
- 别称：高座
- 专长：持咒、梵呗
- 影响：中国密法的开路前锋
- 事迹：因人不同，而有不同的关怀方式

东晋建康城有一条长长的大街。街头住着丞相王导，街尾住着尚书令卞壶，街的中央则是宏伟的建初寺。丞相王导的个性潇洒，不拘小节，每次他经过这条街，远远地就可以听见他开朗的笑声，或者对着月色吟一首浪漫的诗歌。尚书令卞壶则是作风严谨，不苟言笑，总是安安静静地走过街道，只偶尔抬起头看看美丽的月光。

有一天，街中央的建初寺，来了一位西域龟兹国的高僧，他有一个好长的名字：帛尸梨密多罗。

“‘帛尸梨密多罗’是什么意思啊？”建初寺的小沙弥❶忍不住小声问道，此刻，他正捧着为高僧准备的斋饭。

❶ **沙弥**：指佛教僧团中，尚未受完整戒律，年龄在七岁以上、未满二十岁的出家男子。

负责接待的僧人接过餐盘，忙不迭地回答："汉文是'吉友'的意思，但我们都习惯称他为'高座'。"

"噢！那就是会为你带来吉祥的良友了！难怪我一看见高座就满心欢喜，你看他，多么开朗、有智慧的样子，虽然还不太会说汉语，却好像能听懂我们所讲的每一句话。"

僧人才说完，帛尸梨密多罗就朝他点点头，表示感谢，那亲切的感染力，让小沙弥生出一股犹如被佛法洗涤般的喜悦，他赶紧回了一句："阿弥陀佛！"

听说街上来了这么一位德高望重的高僧，许多王公贵族和大臣名士们，都慕名跑去跟他结交，身为丞相的王导当然也不落人后。

一见到帛尸梨密多罗，王导就啧啧称奇，表示非常喜欢他。言谈间充满着兴奋的语气，还不时放声大笑，而帛尸梨密多罗也斜躺着和王导说说笑笑，感觉一副无拘无束的样子。

两人聊起了时事，王导不禁感慨："社会太乱了，一些有才华的文人都逃到山林里隐居起来，我也是好不容易才稳定了政局。"

当时东晋的皇帝虽然是司马睿，但国家却是靠着王导、王敦两兄弟的力量才稳定下来的，因此形成了"王马共天下"的局面。

"其实只要内心清净，哪里都是净土，像丞相这样洒脱的人，所到之处都是优美胜地啊！"

得到帛尸梨密多罗的鼓励，王导开心地说：“高座，你真是我的知己！”

王导才离开建初寺，卞壶也紧跟着来访。原本和王导高谈阔论的帛尸梨密多罗，知道卞壶要来见他，便穿戴整齐，神情也转为严肃的模样。卞壶是个很严谨的人，凡事一板一眼，帛尸梨密多罗恭敬地把卞壶迎入客厅，两人端坐相对。

求教心切的卞壶请教说：“请问高座，如何才能成为一名好官员呢？”

高座郑重地回答：“用菩萨慈悲的心肠，为人民服务不求回报，就是一名好官员。”

卞壶又说：“我为人民服务虽然不求利益，但我却重视好的名声。”

高座点头：“当追求外在的功名永远没有尽头的时候，只有内心真实的宁静，才能得到解脱。”卞壶听后，立刻有所领悟，欢喜地离去。

这时，站在客厅外头的小沙弥满脸疑惑：“高座真是奇怪！之前王导来访，您与他有说有笑；随后与卞壶会面，您却正经八百，怎么会有这么明显的差别呢？”

帛尸梨密多罗笑着说：“我用不同的态度对待不同的客人，这样他们才能自在啊！”

小沙弥这才明白：“高座真是一位体贴的人，难怪有这么多人要来跟他交往。”

听说朝中大臣都非常器重帛尸梨密多罗，远调到荆州镇守的大将军王敦急得不得了：“这是何方神圣？怎么满朝文武都被他迷惑住了？”于是亲自回到建康城会见帛尸梨密多罗。

面对粗枝大叶的王敦，帛尸梨密多罗知道他是来试探自己的，对他的骄傲无礼丝毫不以为意。结果聊到最后，王敦终于不由自主地向他表达敬意：“啊！传闻中的高座，真是百闻不如一见。”

高座则谦虚地回说：“哪里！哪里！眼睛所见到的，耳朵所听到的，可能都是假的，只有我们的心才是真的。将军诚挚的心意，在下能领会。”一番话说得王敦十分开怀。

一向与帛尸梨密多罗往来密切的大臣周𫖮，对他更是十分礼遇。有一次，两人在赏月饮茶时，周𫖮忍不住对他说：“唉！真是可惜，朝廷如果能得到像您这样的贤才，那真是令人心满意足了！”

高座笑而不语，只望着叶片上残留的水珠。意思是：“周𫖮何必怨叹呢？凡事都自有安排，你只管欣赏此时此刻的美景吧。”但他善解人意，知道周𫖮向来追求完美，不愿泼周𫖮的冷水，所以并不回话。

后来，皇帝司马睿和王氏兄弟反目为敌，激起了王敦的举兵叛变，进而他掌握整个朝廷的大权。周颉因为派系不同而被杀害，他的亲戚友人碍于王敦的气焰，没有人敢前往吊唁。

帛尸梨密多罗知道后，不禁叹了一口气："周颉生前多么风光啊！死后却是这般凄凉！这就是所谓的人情冷暖。"

他知道周颉家人非常需要温暖的安慰，于是不顾众人劝阻，也不怕得罪王敦，独自到周颉家慰问。看见周颉的丧礼简陋寒酸，便为他持咒助念❷，声音高畅，无限的祝福仿佛伴随周颉，直达遥远的天界。

❷ **持咒助念**：持诵佛教咒语，帮助亡者往生佛国世界。

帛尸梨密多罗这番重情重义的举动，很快就传遍了京城的大街小巷，许多人都为自己的胆小自私感到惭愧，对于帛尸梨密多罗不为私己的慈悲心更是钦佩不已。

因为这份体贴众生的心，帛尸梨密多罗生前受尽爱戴，当他以八十岁高龄离开人世时，举国上下无不痛哭流涕，可见他在众人心目中的地位是多么崇高。

我的朋友变成蛇?

大师密码 Karmic Lesson 信受因果

你羡慕能知道前世今生的人吗？

安世高不但知道自己的过去世与未来世，而且有面对命运的大智慧，所以他的预知力不会变成他的烦恼。但是安世高能成为奇僧中的奇僧，并不是因为他的神通力，而是他的坚毅踏实。

安世高本是波斯王子，他舍下王位，在佛学的新世界中努力开疆拓土。安世高具有极高的语言天分，能流畅说写多国语言文字，据说他连鸟语都听得懂。安世高才来中国不久，就已经能够精通中文了。

安世高的语言天赋，被他彻底发挥在佛经翻译上，他首开先河，将传自印度的佛典翻译成中文，让禅修方法得以传入中国，为佛学研究与禅法修行奠定了深厚的基础。

小档案 安世高

- 国籍：安息国（今波斯）
- 别称：安侯
- 专长：翻译、天文、医学
- 影响：率先翻译中国佛教经典，也是将禅修带入中国的第一人
- 事迹：知道因果循环，坦然接受死亡

风起云涌，北方的沙尘暴铺天盖地席卷而过，似乎预告着有什么事要发生了！在洛阳白马寺译完最后一部佛经的安息国高僧安世高，目睹着这一天地气象的巨变，自言自语地说了一句：“业障❶要来时，就像这沙尘暴一样，挡也挡不住的，看来，时候已经到了！”

这位德高望重、放弃王位继承的西域大师，早在汉桓帝初年来到中国时，就开始翻译佛经。转眼间许多年过去了，这一天他结束所有的译经工作后，突然有所感悟，决定转往江南。

❶ **业障**：身体行为、语言、意念所造成的恶业，恶业的力量会带来命运的障碍，也会障碍修行，所以称为业障。

江南风景优美，安世高在此说法时，吸引了无数僧人和信众听讲。

景色再美，也终有离去的时候，最后一日说法完毕，安世高对大家说：“各位，我今天要向你们告辞了，因为我要去了结一件大事。”

这时，大家的耳朵都竖了起来，只听安世高叹了口气后，便娓娓道来：“我的前世其实是中国的一位出家人，那时我有位非常要好的同修道友，两人常常一起研究佛学，探讨人生的真理。可是，这位道友却有一个很大的缺点，他很爱生气，动不动就发怒，尤其碰到施主❷不顺他的意时，就会怨恨连连。我每次劝他，他都不听，就这样过了二十年，我知道自己将不久于人世，便对道友说：‘你努力修佛，程度并不输给我，可是你喜欢乱发脾气，所以死后会遭到恶报，我跟你有同修的缘分，下一世我若得道的话，一定会先来度你。’”

❷ **施主**：布施供养佛教的人。

平时只讲经说法，几乎不谈天说地的法师，今天竟然讲起故事了，听得众人一片专注，鸦雀无声，不知道安世高究竟要说什么。

安世高又继续说：“后来，这一世我投胎当了安息国的太子，又出家为僧，来到中国游化，就是为了这个原因。现在，我要去庐山度化我那位道友了，后会有期！”说完，他立刻起身转头翩翩离去，留给众人无限的惊叹。

从船上放眼望去，是一片烟波弥漫的浩瀚湖水，安世高随同三十多艘商旅船队，一路来到庐山附近的宫亭湖，湖边矗立着一座据说相当灵验的庙，往来的游客都会来这里祈福求平安。

安世高跟着船上的人一起上岸到这座庙里祭拜庙神，带头的船主边走边向他说起此庙的种种神奇：“以前有一个来乞求神竹的人，因为没有准备牲礼供奉神明，就直接砍伐神竹，结果他搭的船整艘都沉到湖里，吓坏了我们这些经常在湖上行驶的船队。从此以后，这里的人就更加小心翼翼地奉祀庙神，不敢有丝毫的得罪。”

安世高点点头，露出理解的神情却并不说什么。

祭祀才开始没多久，管庙的庙祝竟然被庙神附身了，他歪歪斜斜地跑到安世高面前，对他深深一鞠躬说：“这位大师，本庙庙神有请，请入内一谈！”

其他人都惊讶不已，船主的嘴巴更是张得老大，他不知道这位僧人究竟是什么来历，能得到神通广大的庙神如此尊敬的对待。

原来，这位庙神不是别人，正是安世高前世那位爱生气的道友。

当安世高进入庙内时，庙神既开心又羞愧地说："没想到我还能见到你，真是令我百感交集！如今你已经是得道的高僧，我却沦为这座庙的庙神，管辖周边千里的范围。"

庙神停了一下，叹了口气："我前世虽然做了很多佛事，使我供应不绝，却因为爱生气的关系，让我堕入了鬼神道，变成一个面容丑陋的怪物。"

"唉！真后悔当初没听你的劝告。"庙神又叹了口气。

安世高倒是很笃定："我这次来就是要度化你，履行我前世的承诺！"

庙神又叹了一口气："很感谢你的诚意，我的寿命早晚是要尽的，我一直担心死后会堕到地狱受苦，现在你来的正是时候，多年来我得到无数的财宝，就全部交给你代我去供养三宝❸，消除我前世所造的恶业，好让我投生到善道。"

❸ **三宝**：指佛教的佛宝、法宝与僧宝。

安世高点点头，而且还向庙神提议：“你既然有悔改的心意，就一定可以得到我为你超度消业的功德，不如现出你的原形吧！”

庙神一口拒绝：“不行！不行！我的样子太恐怖了，会吓到别人的，我也没脸见你！你能为我做布施，我就已经很感激了！不必专门再为我超度。”

安世高坚决地说：“你不必顾虑太多，现身吧！”

庙神内心纠结，并且十分矛盾，安世高在旁边不断鼓励他：“形体丑陋并不可耻，可耻的是不肯向善的心啊！”

这一次，庙神终于点了点头。不久，就听到神案下传出阵阵“嗞嗞”的声响，接着，赫然钻出一个比案桌还要大的蛇头，等到整个蛇身都出现时，安世高才发现这位庙神竟是一条巨大无比的蟒蛇！吓得一屋子人都逃到庙外，不敢靠近，只有安世高独自站在巨蟒面前，一点都不害怕。

大蟒蛇非常温顺，将身体盘成一圈，面向安世高，仿佛弟子聆听师父说法的样子。安世高从容不迫地开始为大蟒蛇念经诵咒，神情专注而虔诚，大蟒蛇似乎听懂了可贵的经语，感动得不断上下点头，向安世高道谢，两只眼睛还汩汩地流出泪水。

诵完经后没多久，大蟒蛇就迅速地往室外爬去，没入庙后方的山林，消失得无影无踪。

安世高替庙神取出了财宝后，也离开宫亭湖庙，跟着扬帆的船队漂荡在湖面上，这时，他看见那条巨蟒出现在江岸边的高山上，对着船只遥望，好像依依不舍地在道别，船上所有的人都向它挥舞着双手。

安世高也举起手，心中默念：“再见啦！我的好友，你终于可以转生善道了！”

几天后，人们在后山发现了一条头尾好几里长的巨蟒尸体。原来，安世高的道友得到他的度化与祝福，从畜生道❹解脱了。

安世高完成了此次任务，又转往其他地方弘法，他以自己的因果实例，向众人证明了因果业力报应。凡是听过这个故事的人，都感动不已，对业力与因果也有了更深的体会。

❹ **畜生道**：为六道轮回的其中一道。因为生前造作恶业，所以死后前往畜生界。

用爱心消灭战火

大师密码

Kind-hearted 好心肠

吉藏小时候经常跟着父亲到寺院听法，听着听着就在七岁那年出家了。早慧的他，不过十九岁，已能将佛法讲解得头头是道，因此他的佛法弘讲广受欢迎，台下总是座无虚席。

吉藏不但以辩才名闻于隋、唐两朝，而且他天生一副好心肠，常常是行善不欲人知。像是在战乱中，大家四处逃命，根本无心做事，吉藏不但在战火中抢救经典，而且每天都会默默抄写经典，以替战乱中的人们祈福。

效率第一的吉藏，总能以惊人的速度在短时间内完成大量的工作。他曾经宣讲同一部佛经达到三百多次，写出了五十种作品。吉藏深知生命短暂而多变，所以更加积极地活出生命的意义，难怪能成为拯救中国佛教三论宗的中兴大师。

小档案 吉藏

- 国籍：中国
- 别称：嘉祥大师
- 专长：佛学研究、辩论
- 影响：复兴中国八大宗派的三论宗
- 事迹：在战乱中抢救经典

原本该是全国欢庆的新年黎明时分，陈朝首都建康却笼罩在异样的寂静中。身穿铁甲、手持利器的隋朝军队，突然出现在京城里，就在天亮的一刻，“冲啊——”骁勇善战的军队快速杀入京城，展开了一场结束南北朝分裂局面的战争。

隋军连续几天扫荡全城，老百姓们忙着逃命，连道士、僧人也丢下道观、寺庙不管，躲藏起来。在这种紧张的战火时刻，有一位僧人却频频出现在大大小小无人的寺院中，后头跟着几位他的同门师兄弟，僧人的皮肤黝黑，长得浓眉大眼，一看就知道是一个西域来的胡僧。

“动作快一点，隋军马上就要来了。”胡僧指挥若定，僧人们迅速地将藏经楼的重要佛经抱在怀里，准备转移到隐秘的地点。他们前脚刚离开，隋军的步伐就踏进了佛寺。

“师兄，好险！差一点就被抓到了！”小和尚舒了一口气对胡僧说。

“是啊！我们被抓也就算了，但这些宝贵的经典要是被烧了，可是损失重大啊。”胡僧也暗自松了一口气。

这位在中国出生、成长的青年，是著名的三论法师法朗的得意门徒吉藏。向来热心肠的他，担心隋军烧毁各个佛寺中所收藏的佛经，所以号召他的师兄弟们奋力地四处抢救。

“这一次，我们真的做了一件对佛教有益的事。”吉藏翻阅着各种版本的佛典，一想到整个建康城佛寺里的宝藏，几乎都在他眼前了，他感动得当场流下泪来，在他粗犷的外表下，其实隐藏着一颗无比柔软的心。吉藏边整理经典，边将书中的精华都背诵下来，他对佛学的理解程度因此大为进步。

随着隋军入驻，隋朝统一了全国，于是吉藏移居到更往南的会稽嘉祥寺，这里离天台山不远，吉藏便到天台山接受了智者[1]大师的高徒灌顶[2]的说法，思想更趋成熟，成为了国内数一数二的宗师。当时，晋王杨广在全国设置了四个道场，吉藏获邀担任住持[3]，等杨广回长安登基后，也把吉藏请去长安。

❶ **智者**：隋代僧人，是中国天台宗创始人。由于智者系统地整理了佛教各宗思想，建构出佛教思想体系，因此被赞为“中国的佛陀”。

❷ **灌顶**：隋代僧人，世称章安大师。追随智者大师学习天台教观，将智者大师的佛学思想发扬光大。

❸ **住持**：原意为久住护持佛法，后来指掌管一寺的主僧。

吉藏到长安后不久，就听说了一件怪事，那就是有一座空荡荡的金刚座[4]，却没有佛陀的身像。吉藏便关切地问弟子:“这究竟是怎么回事?”

“听说地方上有位善心人发心要建造一座高达十多丈的大佛，可惜才建好了基座，他的财务就出了状况，只好被迫停工。后来，当地陆续有人生病、死亡，大家都谣传这是没有佛陀护佑的关系。”

吉藏笑着说:“这是无稽之谈，生老病死是人生常事，哪里是佛陀没有护佑呢?不过，为了安抚民心，并让佛法顺利弘扬，我们还是应该帮忙，让大佛能够建造起来。”

吉藏率领弟子们来到金刚座四周探查情况，因为金刚座已经成为地方上的诅咒，所以根本没有人敢光临此处，上面已覆盖了厚厚一层灰尘。

“怎么办?师父!没人哪，我们还是回去吧!”

吉藏摇头:“不行!既然他们说这金刚座有问题，我们就要在这里住下来，让人们看看究竟有什么问题!”

[4] **金刚座**:佛像所坐的台座，原指佛陀成道时所坐之座，因为犹如金刚般坚固不坏，所以称为金刚座。

弟子们听后吓了一大跳:“师父，这未完成的基座，周围环境凌乱不堪，地面潮湿无法住人，您老人家怎能委屈住在这里呢？”

吉藏双腿一盘，就在地上打坐起来:“有何不可？既来之，则安之！你们也坐下吧！”

于是，一群僧人在金刚座下连续坐了一个多星期，引发了民众的好奇心，在得知大师的义行后，大家纷纷慷慨解囊。没多久便凑足了经费，几个月后一座庄严的大佛像矗立在金刚座上。

“那位吉藏真有那么了不起吗？”隋炀帝的次子齐王杨暕久闻吉藏的盛名，很好奇他究竟有多少实力。“这样好了！我来举办一场辩论会，邀请他和长安六十几位知名僧人辩论一番。”

为避免流言蜚语，让别人误认为自己空有虚名，吉藏接受了邀约。他佛经读得多，又善于旁征博引，六十几位僧人纷纷甘拜下风。这时吉藏说：“论师承让了！”不想让对方输得难看的吉藏，向众僧一鞠躬后，恭敬地告退了。

吉藏在暮色中回到寺内，片刻也没休息，随即摊开纸笔，埋头奋笔疾书，原来他是在抄写昨天未抄完的经书，这是吉藏每天必做的功课。

一旁帮忙点上蜡烛的弟子关切地问：“师父，你不累啊！辩论了一整天，才回来就要忙着抄经！”

吉藏揉揉疲惫的双眼：“我不累，不抄经的话，想到那些可怜的老百姓，我的心才累呢！”

弟子忍不住说：“师父，您的好心肠真是太令人感动了！为了老百姓的幸福，我看您抄经抄得眼睛都快瞎了！”

吉藏虽然备受皇帝礼遇，但他深知隋炀帝暴虐无道，所以发愿抄经为民祈福，从大业初年开始，十年内着手抄了两千部《法华经》，等于一个月内抄写十部以上，如果不是夜以继日抄写的话，哪儿有这样的成绩呢？

隋朝灭亡后，吉藏被推选出来和唐高祖谈话，他特别劝请高祖施行仁政，让饱受战争迫害的百姓得以休养生息，这项提议，深获高祖的支持。这位三论宗❺的集大成者，除了雄辩的口才之外，他处处为民着想的好心肠更令人钦佩不已。

❺ **三论宗**：又称空宗、法性宗，以《中论》《百论》《十二门论》等三论为所依的佛教宗派。

降妖除魔救西藏

大师密码 Knightly 侠义

有位印度王子放着王宫的荣华富贵不享受，倒把坟场当成道场来修行，这位勇敢的王子经过魔鬼式的自我磨炼，遍学各种修法，被称为“莲花金刚”，也就是大名鼎鼎的莲花生大士。

当时刚好藏王赤松德赞想建造佛寺，却一直被魔法阻扰，于是请来莲花生解救危机。莲花生降伏了那些施咒者的傲慢心，让他们自愿信仰佛教。就这样，西藏第一座佛寺桑耶寺终于建成了。

莲花生辅佐两任藏王度过政教危机，更创建了西藏密宗。但他不贪恋名利成就，在完成藏王的托付后，就如大侠般潇洒地离开了西藏。

小档案 莲花生

- 国籍：印度
- 尊称：咕噜仁波切
- 专长：密法
- 影响：西藏密宗始祖，被尊为西藏的圣守护者
- 事迹：排除万难，答应藏王辅佐幼主

沿雅鲁藏布江东去，藏王赤松德赞想在扎囊一带建造一座佛寺，以佛法振兴西藏，并压制强大的苯教❶势力。因此，他特别从尼泊尔请来寂护❷法师协助造寺、传授佛法。没想到苯教使出各种暗招阻挠寂护，白天盖佛寺所准备的材料，到了晚上全都不翼而飞了。

❶ **苯教**：为佛教传入西藏前，流行于藏区的原始宗教。是一种万物有灵的信仰，崇拜许多自然物。

❷ **寂护**：印度僧人，瑜伽中观派创始人，也是桑耶寺第一任住持。

寂护因此向藏王推荐说：“光靠我一个人的力量是无法完成的，要请印度精通密法的莲花生大士来才行！”

“莲花生大士是怎样的人啊！他真有这么大的神通可以对抗苯教吗？”怀着强烈的好奇心，赤松德赞赶紧派人翻越了喜马拉雅山，恭请这位原为东印度乌苌国的王子，后降伏黑夜魔障的密宗大师。

莲花生大士要来西藏的消息，传遍了西藏每一个角落，没有一个人不晓得这个消息。苯教的人沿途以巫术干扰莲花生，想让他放弃到西藏的念头，但这些装神弄鬼的把戏，都被莲花生一一拆穿。

“你以为在一个写我名字的木头人身上，刺上一根针，就可以让我死了吗？”莲花生当着被他逮个正着、正在作法的巫师面前，用力把针往木头人身上刺得更深一些，他笑着说：“你看！我有怎样吗？我既然答应藏王去西藏弘法，无论如何是绝不会改变的！”他的这些言行把巫师吓得落荒而逃。

当赤松德赞见到留着两撇儿胡子、像太阳一般光明的莲花生大士时，他满心欢喜。莲花生到达建寺的地方勘测地形，选择了奠基的位置，然后对藏王和寂护说：“建筑物的布局要依照佛经中的大千世界，这就请寂护仿照古印度摩揭陀国的欧丹达菩黎寺来设计吧！”在正式动工前，莲花生特地祈请各方诸神护持，以免遭到苯教破坏。

设计完成后，赤松德赞一声令下，六万名民夫一起动手开始兴建西藏第一座佛、法、僧三宝俱全的寺庙桑耶寺。但石墙才砌到一半，所有的人却已经疲惫不堪到无法再进行下去了，有些石材也严重欠缺，藏王十分着急地向莲花生询问：“怎么办？是不是苯教又来作法捣乱了呢？否则怎么每一个人都没力气了？我们会不会盖不下去呢？”

莲花生倒是一点都不急，他安慰藏王说：“请您放心好了！我已经承诺您要建好桑耶寺，就一定会全力以赴，不会让它半途而废的。”

于是莲花生再度施法祈福，说也奇怪，原本累瘫了的民夫渐渐恢复了力气，可以再度上工，而雅鲁藏布江也因为一场雨水的冲刷，在岸边淤积了大量泥土，周围的群山则被雷打落了无数石块，滚落到附近。“桑耶寺可以建造了！”寂护兴奋地向藏王报告这个好消息，两人笑而不语，明白这都是莲花生的功劳。

五年后，桑耶寺终于建成了，这里也成为西藏最崇高的佛教圣地，人们络绎不绝地拿着转经轮来这里朝圣，同时也膜拜心中的佛教圣者——莲花生大士。莲花生在西藏二十年，除了降妖除魔、兴建佛寺外，还培养人才，译经弘法，藏传佛教在他的努力下，在西藏扎下了最坚实的根基。

在西藏一个新年的开始，草原上弥漫着一股欢乐的气氛，照例要来一场众所期待的赛马会，赤松德赞换上新衣服，也跃跃欲试起来，但莲花生却满脸严肃地阻止他：“赞普，您今年不要骑马吧！”

要一个从小与马为伍的西藏男人不骑马，简直是不可能的事，赤松德赞笑着说："大士多虑了吧！我只是开个场绕两圈，也没什么危险啊！"

莲花生又说："赞普[3]您今年流年不利，还是不骑为妙。"

赤松德赞不当一回事地说："我会小心的，您别担心。"

说完，跳上马便走了，但莲花生的预言果然成真了，不听劝告的赤松德赞在赛马会上，不小心撞到树枝，摔成重伤。

躺在病榻上的赤松德赞后悔莫及，向莲花生请求："看来我是在劫难逃了，都怪我没听您的话，所以才弄成这副模样。我的日子所剩不多了，此生能得到大士的教导，在藏地广推佛法，我已经了无遗憾。唯一放心不下的是我的孩子，他的年纪还小，希望大士能尽心辅佐他。"

[3] **赞普**：对藏王的称谓。

对莲花生来讲，这个请求令他相当为难，他来西藏早已超出原先预定停留的时间，好几次他表明了想回印度的心愿，赤松德赞都以佛教在藏地还没有生根为理由而回绝了他，如今佛教在藏地已经如日中天，赤松德赞却不幸遭此意外。

重承诺、讲义气的莲花生，担心赤松德赞一旦过世，自己也离开了的话，由于小藏王还年幼，苯教的势力一定会卷土重来的。他想了想，轻轻拍了拍藏王的肩膀，点头答应："您放心好了！我一定会全力辅佐他。"

赤松德赞的眼角流出了感激的泪水，他欣喜地笑了："那我就放心了！"他知道莲花生是个说到做到的大修行者，两人之间的稳固情谊，好比喜马拉雅山的圣母峰那样高。随后，赤松德赞放心地走了。

莲花生与西藏的缘分又延续了数年，直到小藏王长大了，已能掌握王权，西藏更是一片清明之时，莲花生知道他与西藏的缘分已尽了，便向小藏王告别道：“孩子，如今你已长大，我也完成了你父亲所托付的重任，该是我离去的时候了！”年轻的藏王当然不肯：“不行！您一走，不但是我失去了光明，整个雪域高原都无所依靠了！”

莲花生劝慰他说：“人生的因缘有开始，就一定有结束，这是千古不变的道理。但是上师对弟子的关爱也是不变的，不管我到哪里，我对你的关爱都在你的心中。”

年轻的藏王知道这次莲花生真的要走了，便献上无数财宝，并派人一路护送大师，沿途欢送的西藏子民都落泪了，而伟大的大师则在每一个地方留下了他的祝福，这些祝福至今都还留存在西藏的土地上，默默守护着美丽的香格里拉[4]。

[4] **香格里拉**：世外桃源般的理想世界。